D1514980

Les noDJis
FONT La LOi

OTTAWA PUBLIC LIBRARY
BIBLIOTHÈQUE PUBLIQUE D'OTTAWA

À mon Guillaume.
C. Piochon

Les mots du texte suivis du signe * sont expliqués
sur le rabat de couverture.

www.editions.flammarion.com

© Flammarion pour le texte et l'illustration, 2011
87, quai Panhard-et-Levassor – 75647 Paris Cedex 13
Dépôt légal : février 2011 – ISBN : 978-2-0812-3019-4 - N° d'édition : L.01EJEN000345.N001
Loi n°49-956 du 16 juillet 1949 sur les publications destinées à la jeunesse

Marc Cantin & Isabel

Caroline Piochon

Les nodjis font la loi

Castor Poche

UN COLiS SURPRiSe

– **P**ar les Saintes Baguettes, j'ai faim !

– Moi aussi, j'ai drôlement faim !

Ces petites voix résonnent derrière les arbres. Je m'avance avec prudence entre les cèdres centenaires et les vieux châtaigniers. Au détour d'un tronc, j'aperçois deux drôles de créatures pas plus hautes que des belettes dressées sur leurs pattes arrière.

– J'ai l'estomac aussi petit qu'un grain de riz, se plaint le premier. Pourquoi les mandarines ne roulent-elles plus jusqu'à nous ?

– Ah ! Que le grand Sumo m'écrase si je me trompe, je parie que c'est un coup des Nodjis, affirme le second. Ils ont sûrement trouvé un moyen de garder tous les fruits.

– Tu as raison. Allons voir ça de plus près.

Je m'apprête à les suivre, mais je me sens retenue comme si je m'étais accrochée dans des ronces. Je baisse la tête : je découvre qu'un tanuki se tient à côté de moi et qu'il agrippe mon pull avec ses griffes !

– Je m'appelle Akihiro, me dit-il d'une voix de vieillard.

Ses poils foncés, de chaque côté de son museau, forment un masque noir percé de deux yeux brillants.

– Ne t'inquiète pas, Jade, me souffle-t-il. Je suis ton ami.

Je suis tellement surprise que je n'arrive pas à prononcer un mot. J'ouvre la bouche mais aucun son n'en sort et... je me réveille en sursaut !

D'un bond, je me redresse pour inspecter ma chambre. Je suis seule, assise sur mon matelas posé sur les tatamis qui recouvrent le sol.

– Quel rêve bizarre, je murmure en étouffant un bâillement.

Depuis que je vis de l'autre côté de la planète, mon sommeil est parfois agité. Il faut dire qu'un déménagement de dix mille kilomètres, ce n'est pas très courant.

Je n'oublierai jamais le jour où mon père m'a demandé si j'aimerais habiter au Japon. J'ai aussitôt sauté de joie :

– Ouah ! Au pays des mangas ! Trop cool !

Papa était ravi de ma réponse et, un mois plus tard, nous étions dans l'avion avec ma belle-mère, sa fille, Makoto, et mon demi-frère, Zaka.

Mais je n'avais pas vraiment réfléchi aux conséquences.

Mes copines sont restées en France, et moi, dans ma nouvelle maison perdue au milieu de la campagne japonaise, au pied du mont Myoko, je me sens parfois un peu seule.

– Jade ! m'appelle ma belle-mère. Il y a un colis pour toi !

Je me lève d'un bond. Je replie mon futon et je le range dans le placard avec ma couette et mon oreiller, puis je me dépêche de rejoindre l'entrée de notre maison.

Le facteur de la Japanpost, dans son impeccable uniforme bleu, s'apprête à repartir.

Il salue ma belle-mère, Kimi, qui s'incline aussi. Je les imite pour ne pas paraître impolie, tout en gardant un œil sur mon colis qui a été confié à mon demi-frère !

– Hé ! C'est grooos ! s'exclame Zaka.

– Et fragile, précise le facteur.

Mon demi-frère brandit le paquet au-dessus de sa tête et s'éloigne en titubant sous le poids. Je me lance aussitôt à sa poursuite.

Jade reçoit de sa mère un mystérieux colis qui ne laisse pas son petit frère Zaka indifférent !

Un cadeau très convoité

– **D**onne-moi ça, microbe !

Zaka n'a que cinq ans, mais il est rapide. Il zigzague au milieu de la pièce, et finit par perdre l'équilibre. Je le rattrape avant qu'il ne s'étale sur la grande natte*, et je sauve mon précieux paquet sur lequel j'ai déjà reconnu l'écriture de Maman.

– Laisse-moi l'ouvrir ! réclame Zaka.

– Qu'est-ce qui est marqué ici ? je l'interroge en pointant le nom du destinataire.

– Je ne sais pas lire.

– C'est mon nom, tête d'œuf. Pas le tien. Donc, c'est mon colis !

Zaka s'asseoit au milieu de la pièce en soupirant. Je dépose mon paquet sur la table basse pour le déballer. Je me demande bien ce que Maman peut m'envoyer… peut-être un souvenir de ses nombreux voyages. Elle parcourt le monde pour son travail, et, comme elle est rarement en France, elle a accepté sans problème que je parte au Japon avec Papa et Kimi. Bien sûr, elle a promis de venir me rendre souvent visite, mais j'ai peur que nous ne nous soyons pas comprises sur le sens du mot « souvent ». Je ne l'ai pas vue depuis bientôt un mois.

Ce paquet me résiste : chaque couche d'emballage en découvre une nouvelle. J'ai l'impression d'ouvrir des poupées gigognes*.

Enfin, une forme rectangulaire, noire et brillante apparaît.

– C'est quoi ? me demande aussitôt Zaka en se rapprochant.

Je sens mes yeux s'agrandir comme des soucoupes.

– Un... un ordinateur portable ! je bafouille.

– Un ordinateur portable ! s'exclame Makoto en entrant en trombe dans la pièce. Ouah ! Il est génial !

C'est vrai qu'il est beau. Plus beau que celui de ma belle-mère.

– J'veux voir ! J'veux voir ! réclame Zaka.

– Allume-le, me presse Makoto, qu'on puisse regarder ce qu'il a comme logiciels.

Leurs mains s'avancent comme des griffes prêtes à se saisir de mon ordinateur. Je le serre contre moi et je cours me réfugier dans un coin de la pièce.

– Il est à moi ! Vous n'y touchez pas !

– Allez, insiste Makoto, fais pas ton chacal. Montre-le-moi. De toute façon, tu n'y connais rien en informatique.

– J'veux voir ! J'veux voir ! continue Zaka.

– Laissez-moi tranquille ! je hurle.

Kimi et papa, occupé à peindre, arrivent aussitôt. Ils demandent une explication, et Makoto s'empresse de la leur fournir :

– Pfff… Jade refuse qu'on s'approche de son ordinateur. Elle est complètement égoïste, râle-t-elle.

– Égoïste ! Égoïste ! répète évidemment Zaka en me pointant du doigt.

– Quel ordinateur, intervient mon père ?

– Celui que Maman vient de m'envoyer !

– Jade, reprend mon père, tu peux bien laisser ta sœur regarder cet ordinateur.

Makoto n'est pas ma sœur. Même pas ma demi-sœur.

– C'est mon cadeau ! Personne n'y touche. C'est comme ça !

– Égoïste ! Égoïste ! s'entête Zaka.

Des larmes commencent à brouiller ma vue. Je crie pour ne pas pleurer :

– Vous n'êtes que des jaloux !

Et je traverse la pièce en courant. Papa veut m'arrêter mais Kimi le retient. Alors je pousse la baie coulissante, et je file dans le jardin.

Parce qu'elle ne veut pas prêter son ordinateur à sa demi-sœur, Jade se dispute avec son père et s'enfuit dans le jardin.

Chapitre 3

UNE MISSION INATTENDUE

Quand ça va mal, je me réfugie au fond du jardin, derrière le grand jasmin parfumé, au bord du bassin en pierre. Il y a un vieux fauteuil en bambou sur lequel je m'installe pour contempler le mont Myoko. Je m'y asseois et je fixe cette montagne dissimulée sous une épaisse forêt où se mêlent les vieux sapins tordus, les cèdres géants et les bambous. Elle ressemble à un royaume mystérieux.

– Jade... Jade...

Je sursaute.

D'où vient cette drôle de voix de vieillard ?

Je regarde autour de moi... rien.

– Ici, Jade.

Je baisse les yeux et, sous le jasmin, je vois apparaître le museau d'un tanuki. Le même petit animal dont j'ai rêvé la nuit dernière.

– A... Akihiro ? je bafouille.

– C'est bien moi, me répond-il sans s'étonner.

– T... tu me connais ?

– Bien sûr. Sinon, je ne serais pas là !

Je suis tentée d'attraper une pierre pour me frapper le front, histoire de vérifier que je ne suis pas encore en train de rêver ! Akihiro m'adresse un regard tranquille. Il s'approche et pose sa patte sur la mienne, euh… enfin, sur ma main.

– J'ai besoin de toi, me dit-il.

– De moi ?

– Oui, car je suis trop vieux pour faire régner l'ordre sur le mont Myoko. Une multitude d'êtres fantastiques s'y cachent et surtout s'y chamaillent sans cesse. Je n'ai plus la force de gérer leurs problèmes.

– Et tu crois vraiment que je peux t'aider ?

– J'en suis sûr. Ta mère est une grande diplomate*, connue dans le monde entier. Elle réussit à régler de nombreux conflits entre les humains. Toi aussi, tu possèdes sûrement ce don, et ton arrivée ici est un signe.

Je suis toujours flattée quand on me compare à ma mère mais je ne suis pas certaine d'avoir son talent.

– Et quel problème suis-je censée résoudre ? je demande.

– Oh, trois fois rien, m'assure Akihiro avec son air paisible. Les Jodis ont décidé de déclarer la guerre aux Nodjis. Il suffit de les faire changer d'avis.

Maman passe sa vie à essayer de ramener la paix sur notre planète. C'est même pour cela qu'elle est toujours partie aux quatre coins du monde. Alors, si moi aussi je peux résoudre des conflits, je ne dois pas hésiter. Je dissimule mon ordinateur sous le fauteuil en bambou avant de me lever.

– C'est d'accord, je dis.

– Bravo, me félicite Akihiro. Tu prends la bonne décision. Maintenant, dépêche-toi de trouver les Jodis.

Je m'aperçois que le vieux tanuki a pris ma place dans le fauteuil !

– Quoi ? Tu ne viens pas avec moi ?

– Je marche lentement et je te retarderais. Et puis, j'ai confiance en toi. Vas-y, c'est toujours tout droit. Tu ne peux pas rater les Jodis, ils font un boucan d'enfer.

J'inspire à fond, je serre les poings et je m'enfonce entre les arbres en direction de ce drôle de royaume.

Jade, choisie par le tanuki Akihiro pour éviter la guerre entre Jodis et Nodjis, part à leur rencontre.

LES JODIS PARTENT EN GUERRE

Le chemin monte doucement entre les cèdres. Leurs feuilles agitées par le vent laissent échapper une joyeuse rumeur. Mais de vraies voix se mêlent bientôt à ce joli bruissement.

– Par les saintes Baguettes, j'ai faim !

– Moi aussi, j'ai drôlement faim !

Je m'approche sur la pointe des pieds et, quelques mètres plus loin, je découvre une dizaine de silhouettes fines et hautes : les mêmes créatures que dans mon rêve !

Mais à présent, un hachimaki[1] rouge leur serre le front et elles tiennent un bâton entre leurs pattes.

– Par le grand Samouraï, les Nodjis veulent la guerre, eh bien, ils vont l'avoir ! promettent les étrages bestioles.

Akihiro avait raison : les Jodis semblent décidés à en découdre avec les Nodjis.

– Euh… excusez-moi, dis-je timidement.

[1] Hachimaki : bandeau que les Japonais portent autour de la tête. Il symbolise la détermination et le courage.

Toutes les petites créatures se retournent et se figent. Elles me dévisagent en silence, les yeux plissés, les oreilles dressées et le museau en avant, comme si elles essayaient de me renifler.

– C'est une humaine, chuchote l'une d'elles.

– Une jeune humaine, ajoute une autre.

– On appelle ça une enfant, précise une troisième.

– C'est exact. Mon nom est Jade et c'est Akihiro qui m'envoie.

Les Jodis se rassemblent autour de moi. Ils ne semblent pas menaçants, juste très curieux. Je m'asseois en tailleur pour me placer à leur hauteur. Je sens qu'ils apprécient ce geste, alors j'en profite pour leur expliquer la raison de ma visite.

– Je viens vous proposer de discuter avec les Nodjis au lieu de vous battre contre eux.

– Discuter avec les Nodjis ? Autant parler à des bambous, affirme un Jodi. Ils sont aussi creux que leur tête !

– Mais s'ils continuent à nous priver de mandarines, ils récolteront des pépins ! promet un autre.

– C'est sûr ! s'esclaffe un troisième. Avec nous, ils vont avoir des sushis !

Tous les Jodis s'écroulent de rire. Puis ils finissent tout de même par m'expliquer qu'ils soupçonnent les Nodjis d'avoir mis au point un système pour que les fruits de leur verger, lorsqu'ils se détachent et tombent de leurs branches, ne roulent plus jusqu'à eux.

– C'est le grain de riz qui fait déborder le bol ! protestent les petites créatures en agitant leurs bâtons. On va remettre les idées en place aux Nodjis !

– Attendez ! j'interviens. Il doit sûrement y avoir d'autres solutions.

– Tu as raison, approuvent quelques Jodis. Utilisons des bâtons plus gros ! À moins que tu puisses nous offrir quelque chose de plus convaincant, comme… tiens, des bâtons de dynamite ?

Je me rends compte qu'il est impossible d'avoir une conversation sérieuse avec les Jodis, et je ne vois vraiment pas comment les empêcher de se battre. Je retournerais bien voir

Akihiro pour lui dire de se débrouiller avec eux. Après tout, ce n'est pas mon affaire… qu'ils se fassent la guerre s'ils en ont envie.

– Allez, Jade, viens avec nous ! m'appellent les Jodis. Les Nodjis ont besoin d'une leçon !

Je m'apprête à les laisser et à redescendre de la montagne… mais je pense à Maman : elle n'abandonnerait jamais, elle !

Finalement, je décide de suivre les Jodis.

Jade ne parvient pas à convaincre les Jodis de renoncer à la guerre, mais elle ne baisse pas les bras et les accompagne.

Chapitre 5

LES NODJIS CONTRE-ATTAQUENT

Je continue à gravir le mont Myoko en compagnie des Jodis. Ils chantent à tue-tête en agitant leurs bâtons.

– Vous n'avez pas peur d'alerter les Nodjis ? je leur demande.

– Ha ! Ha ! Ces gros balourds ne pensent qu'à travailler, m'assurent les Jodis. Ils sont trop occupés pour nous entendre !

La forêt dense laisse bientôt place à une grande prairie au bout de laquelle se dessinent un vaste jardin en terrasse et un verger.

Les troncs des mandariniers se dressent en file indienne. Leurs nombreux rameaux plient sous le poids des fruits mûrs et, dès qu'une mandarine se décroche, elle roule sur le sol, prend de la vitesse avec la pente... et finit sa course dans un large fossé creusé au pied des arbres !

– Par le bonzaï sacré ! C'est ainsi que les Nodjis nous affament ! enragent les Jodis. Allons chercher les fruits ! À l'attaque !

Je tente en vain de les retenir mais ils sont trop rapides pour moi. Certains me passent même entre les jambes pour se précipiter vers le verger. Soudain un cri puissant les arrête.
– Kiiiiiiii !

Des Nodjis sortent en hurlant du fossé où ils s'étaient cachés ! Ils ressemblent à de petits sacs bien remplis et rebondissent sur leurs pattes minuscules comme s'ils étaient montés sur des ressorts ! Mais, surtout, ils ont des gourdins* beaucoup plus gros que les bâtons des Jodis.
– J... je n'ai plus très faim, bafouillent les plus fluets des Jodis.

Ils lâchent leurs bâtons et font demi-tour.

– *Tasu Kete* ! hurlent à présent les Jodis en détalant. Sauve qui peut !

Je reste seule au milieu de la prairie.

J'écarte les bras pour arrêter les Nodjis qui se ruent vers moi en poussant des cris sauvages.

– Stop ! Ne vous battez pas ! Ne...

Je n'ai pas le temps d'en dire plus. Ils se jettent sur moi, je bascule en arrière et je termine dans l'herbe, les fesses en l'air. En un éclair, tous ces petits êtres ronds m'immobilisent. Je ne peux plus bouger, ni les bras, ni les jambes. À mon avis, ils sont tous au moins ceinture noire de judo !

Celui qui semble les commander s'avance vers moi et me fixe droit dans les yeux.

– Que le tofu[1] m'étouffe ! s'exclame-t-il. Une alliée humaine ! Les Jodis sont prêts à tout pour nous piller. Emmenez-la. Nous allons la juger.

[1] Tofu : pâté de soja, aliment de base au Japon.

Ma première mission diplomatique tourne à la catastrophe. Les Nodjis m'attachent les poignets avec des liens tressés et me forcent à me relever. Une dizaine d'entre eux restent sur place pour garder les mandariniers. Les autres me poussent vers le haut de la montagne.

Après la fuite des Jodis, Jade est prisonnière des Nodjis. Comment les convaincre de faire la paix ?

Chapitre 6

en mauvaise posture

Les Nodjis habitent un arbre imposant et majestueux qui a certainement vécu plus de mille ans. Mais aujourd'hui il est mort depuis longtemps, et son tronc, couvert de mousse, semble aussi dur que la roche. Il est creux, et les Nodjis y entrent par un passage aménagé entre les racines. Le tronc est percé d'ouvertures rondes par où les plus curieux passent leurs têtes afin d'assister à mon arrivée. À leur air surpris, je comprends qu'ils ne reçoivent pas souvent de visite.

En face de l'arbre, une pierre soigneusement sculptée est plantée dans le sol. Elle représente un Nodji géant, les mains jointes sur son gros ventre. C'est au pied de cette statue qu'on m'oblige à m'asseoir.

Les Nodjis s'installent tous en demi-cercle devant moi en mangeant les mandarines qu'ils ont rapportées de leur jardin.

– Alors, humaine, tu avoues être la complice des Jodis ? m'interroge leur chef d'une voix agacée.

– Non ! Je viens de la part d'Akihiro pour vous empêcher de vous battre !

– Nous ne nous battons pas, précise aussitôt le chef. Nous nous défendons !

– Vous êtes plus forts que les Jodis, je réplique. Vous n'avez pas grand-chose à craindre d'eux.

– Que le fugu[1] m'empoisonne ! s'exclame le chef. L'humaine défend nos ennemis ! C'est la preuve qu'elle est leur complice !

[1] Fugu : poisson très apprécié au Japon et dont les viscères contiennent un violent poison.

– Oui ! Bravo ! l'acclament les autres Nodjis.
Jetons-la dans le bouille-bouille !

J'ai le mauvais pressentiment que le
« bouille-bouille » n'est pas une chose très
agréable. En tournant la tête, j'aperçois les
vapeurs d'une onsen[2], certainement la plus
brûlante de tout le Japon ! J'en ai la chair de
poule ! Les Nodjis affichent un large sourire et
sautent de joie. Je comprends que leur seule
distraction est de plonger leurs ennemis dans
cette source d'eau bouillante.

[2] Onsen : bain thermal japonais.

– Attendez ! Stop ! je crie. Me jeter dans votre bouille-bouille n'arrangera rien. Les Jodis continueront à vous ennuyer.

Au même moment, un Nodji qui gardait les arbres fruitiers arrive en gesticulant.

– Chef… les Jodis viennent de nous voler des mandarines !

– Que le typhon m'emporte ! s'exclame celui-ci. Comment est-ce possible ?

– Une bande de Jodis est venue nous provoquer en nous faisant d'horribles grimaces, explique le garde. Nous nous sommes lancés à leur poursuite et, pendant ce temps, un autre groupe s'est servi dans le verger !

Les Nodjis, dépités, gardent le silence.

Alors je reprends la parole :

– Je vous avais prévenus. Jamais vous ne vous débarrasserez des Jodis par la force. Mais si vous m'écoutez, je vous le promets, le problème sera vite réglé.

Une lueur d'espoir illumine les yeux des Nodjis. Je tends mes poignets vers le chef et, celui-ci, dans un soupir, me détache les mains.

– Que proposes-tu ? ronchonne-t-il.

Je pointe le doigt vers la mandarine qu'il s'apprête à engloutir pour se calmer.

– Je peux vous l'emprunter ?

Il me la confie, à regret. Je retire la peau avant de mettre le fruit sous son nez.

– Que voyez-vous ? je lui demande.

– Ben... ma mandarine.

– Oui, mais si vous l'observez attentivement, que remarquez-vous ?

– Euh… tu l'as épluchée pour que je la mange ?

– Cessez de penser à votre ventre. Regardez bien… elle est composée de huit quartiers, comme des petites parts.

– C'est vrai, admet le chef. Mais…

Je détache les quartiers et je commence à les distribuer.

– Ma… ma mandarine, bafouille le chef.

Je lui donne le dernier morceau et je m'assieds face à lui.

– Et si vous partagiez vos fruits avec les Jodis ?

– Argh… que mille Katanas[1] me transpercent ! s'offusque-t-il. Ces fainéants de Jodis ignorent ce qu'est le travail et ils ne pensent qu'à s'amuser ! S'ils veulent un jardin, qu'ils le fassent eux-mêmes.

– Mais vous venez de dire qu'ils en sont incapables ! Comment pourraient-ils y arriver ?

– Ben… je ne sais pas, moi.

– Apprenez-leur à travailler, en échange, ils vous apprendront à vous amuser autrement qu'en ébouillantant les gens.

---

[1] Katanas : sabres de plus de 60 centimètres, souvent attribués aux samouraïs.

– Oh ! Ce serait chouette de s'amuser pour de vrai ! s'exclame un jeune Nodji.

– Et puis, si nous ne nous battions plus avec les Jodis, ajoutent ses parents, nous serions plus tranquilles.

– Que le grand Ninja m'assassine ! s'emporte le chef. Vous perdez la tête !

Mais, personne ne l'écoute. Les Nodjis réfléchissent déjà à la façon dont pourraient s'organiser le travail et le partage. Et, surtout, ils ont hâte de s'amuser, car dans ce domaine, c'est bien connu, les Jodis sont les meilleurs.

Jade a convaincu les Nodjis de se réconcilier avec les Jodis et de partager leurs mandarines avec eux.

UNE NOUVELLE VIE

Réconcilier les Jodis et les Nodjis me paraissait une mission insurmontable. Et pourtant, si ma mère était sur le mont Myoko en ce moment, je pense qu'elle serait fière de moi : les Jodis ont abandonné leurs bâtons, et les Nodjis leurs gourdins. Ensemble, ils récoltent les mandarines, remplissent les sacs de fruits, sèment les graines pour les prochaines récoltes, désherbent la terre et entretiennent les remblais* qui retiennent l'eau de pluie.

Le travail ne manque pas dans un aussi grand jardin. Mais à présent, les pauses sont de rigueur. Et les Jodis se chargent de les rendre distrayantes.

– Par les saintes Baguettes ! s'exclame l'un d'eux. Vous ne connaissez pas la pastèque prisonnière ?

– Euh... non, avouent les Nodjis.

Aussitôt, les Jodis délimitent un terrain et, après avoir choisi une belle densuke[1] dans le potager, ils expliquent rapidement les règles de ce jeu auquel je jouais en France... avec un ballon !

– Jade ! Tu viens dans notre équipe ? me demande le chef des Nodjis.

– Non ! Sûrement pas ! Elle est avec nous ! réclament les Jodis.

Afin de ne pas déclencher un nouveau conflit, et aussi parce que le soleil commence à faiblir, je refuse poliment les deux invitations :

[1] Densuke : sorte de pastèque.

– Désolée, je dois retourner chez moi, mais continuez à travailler et à vous amuser. Je repasserai vous rendre visite.

Les petites créatures viennent toutes me saluer et me remercier. Je m'incline devant chacune d'entre elles, ce qui nécessite un certain temps.

Quand je les quitte enfin, le soleil descend sur l'horizon. Les ex-ennemis entament une partie endiablée de pastèque prisonnière en se renvoyant l'énorme fruit noir. J'espère qu'il n'y aura pas de mauvais joueurs !

Je redescends le mont Myoko d'un pas joyeux, heureuse d'habiter juste à côté de ce royaume fantastique. Je retrouve Akihiro, qui m'attend près du bassin. Le vieux tanuki se prélasse dans mon fauteuil. J'ai vraiment l'impression qu'il a dormi toute la journée !

– Mmm… Alors ? Tout s'est bien passé, n'est-ce pas ? me demande-t-il en s'étirant. J'étais sûr que tu réussirais. Il ne pouvait pas en être autrement.

– Je te remercie de ta confiance, mais ce n'était pas simple.

– Même les singes tombent des arbres, tu sais, affirme le vieux tanuki. C'est la volonté de réussir et d'aider les autres qui importe. Et cette volonté, tu l'as dans ton cœur.

Il me sourit et, devant mon air hébété, il s'en va en ricanant.

– À bientôt, me lance-t-il.

Puis il disparaît dans les buissons.

Au même moment, j'entends mon père qui m'appelle. J'attrape mon ordinateur et je me dépêche de rejoindre la maison.

La première mission de Jade est un succès ! Mais pas le temps d'en profiter... Pour elle, c'est déjà l'heure de rentrer.

Chapitre 8

ON FaiT La PaiX !

Papa m'attend sur les marches en bois de notre maison. Il pose sa main sur mon épaule. Ses doigts portent encore des traces de peinture.

– Je suis désolé d'avoir insisté pour que tu partages ton ordinateur avec Makoto, me confie-t-il. C'est un cadeau de ta mère, et je n'avais pas imaginé ce qu'il représentait pour toi. Je comprends que tu veuilles le garder.

C'est stupide, mais d'entendre mon père s'excuser me donne envie de pleurer.

– C'est moi qui suis idiote, je murmure. Maman ne m'a pas envoyé ce cadeau pour que je rende jalouse Makoto. Elle pensait sûrement que je le partagerais si ma sœur n'avait pas d'ordinateur.

– Tu as appelé Makoto ta sœur ! se moque gentiment mon père.

– Même si elle n'est que ma demi-sœur, je n'ai pas envie qu'elle me trouve égoïste… ni qu'elle me pique mon ordinateur dès que j'aurai le dos tourné ! Je préfère donc le partager.

– C'est de vivre au Japon qui te rend si sage ? s'étonne Papa.

– C'est possible, je réponds en souriant.

Nous rentrons dans la maison bras dessus, bras dessous. Zaka regarde un DVD allongé sur les tatamis. Makoto est assise en tailleur, le nez dans un livre. Mais je remarque qu'elle me surveille du coin de l'œil.

Je m'approche et je pose mon ordinateur devant elle :

– Tu pourrais m'expliquer deux ou trois trucs ? Je n'y connais rien du tout en informatique, je préférerais ne pas faire de bêtise... Et, si tu veux, je pourrais te le passer.

Makoto lève la tête vers moi. Elle esquisse un sourire amical en signe de paix.

– On va dans ma chambre ? propose-t-elle.

– D'accord.

– Et moi ? Et moi ? Je peux venir aussi ?

Je croyais Zaka absorbé par son dessin animé, mais notre discussion ne lui a pas échappé.

– T'es trop petit ! lui retourne Makoto.

Je la retiens par le bras et je désigne notre frère. Son air boudeur et ses poings serrés ne prédisent rien de bon.

– S'il ne vient pas avec nous, il va hurler dans cinq secondes, et se plaindre aux parents qui nous reprocheront de le laisser seul.

Makoto n'a pas besoin de réfléchir long-temps pour se rendre compte que j'ai raison. Notre petit frère nous emboîte le pas avec un sourire jusqu'aux oreilles.

– Qu'est-ce qui t'a fait changer d'avis pour l'ordinateur ? me demande Makoto.

– Rien de spécial. J'ai réfléchi, c'est tout. Au fait, ta mère t'a déjà parlé des Nodjis et des Jodis ?

– Des quoi ?

– Non, rien… laisse tomber.

Nous entrons dans la chambre de Makoto. Je pose l'ordinateur sur son bureau. Zaka s'asseoit sur mes genoux. Nous sommes prêts pour notre première leçon d'informatique commune !

❶ LES AUTEURS

Marc et Isabel Cantin

Ils ont, à peu de chose près, le même âge. Ils mangent, vivent et, depuis quelques années, écrivent ensemble ! Drôle de couple que les voyages à la découverte d'autres cultures ont conduit un jour au Japon. Un pays aussi riche en légendes et en croyances ne pouvait pas les laisser indifférents : comme à leur habitude, ils ont imaginé à deux têtes et écrit à quatre mains ces aventures où l'humour et la sagesse se mélangent.

❷ L'iLLUSTRaTeUR

Caroline Piochon

D'aussi loin qu'elle se rappelle, Caroline a toujours aimé gribouiller pendant des heures, et regarder toutes sortes de dessins animés. Alors, après ses études à l'école des Gobelins, elle est devenue dessinatrice d'animation et se passionne pour le cinéma japonais. C'est donc avec beaucoup de plaisir qu'elle s'est plongée dans ce royaume magique pour donner vie à Jade et sa famille dans ce pays si particulier.

TaBLe Des MaTièRes

Achevé d'imprimer en janvier 2011,
chez Pollina (France) - L55949.